Aprende a saltar a la comba

de

Lisa Brown

susaeta

Título original: *Jump Rope*
Autora: Lisa Brown
Dirección editorial: Ana Delgado
Traducción: María Dolores Crispín
Corrección: Equipo editorial Susaeta

Agradecimientos por las imágenes:
La imagen de la página 4 reproduce un
grabado publicado en Inglaterra en 1800.
Corbis: página 5.

Contenido

Dónde empezó...

El origen exacto del juego de la comba es desconocido. Hay quienes piensan que se remonta a la fabricación de cuerdas en el Antiguo Egipto y en China, mientras que otros creen que procede de un juego de la Antigua Grecia en el que dos personas sujetaban un palo para que otra saltara por encima de él. Y una tercera teoría apunta a los aborígenes de Australia, que saltaban con lianas.

Es probable que los marineros trajeran a Europa estos juegos (existen imágenes de niños saltando a la cuerda en algunas pinturas medievales europeas), y a América llegó en el siglo XVII, de la mano de los colonos holandeses.

Desde entonces no ha dejado de difundirse, y a finales del siglo XX es ya común saltar a la comba en los juegos infantiles de todo el mundo. Incluso hoy en día es una actividad no exclusiva del mundo infantil, y cada vez más adultos la practican.

Atrevida estampa de 1800 de una joven inglesa con una cuerda de saltar.

¡Saltar a la comba es bueno!

Saltar a la comba es una actividad que reporta múltiples beneficios. No se trata simplemente de un juego divertido o un deporte cada vez más popular, sino que también es un completo ejercicio cardiovascular, similar a correr o a hacer ciclismo. Así, diez minutos saltando a la comba equivalen a correr durante ocho minutos. Además, es mejor para las rodillas que el *footing;* al apoyar la zona metatarsal de la planta del pie en lugar de caer sobre los talones, el ejercicio es menos lesivo para la articulación.

¡Saltar a la comba es mucho más que un juego divertido!

Beneficios

- *Es uno de los ejercicios físicos más completos: trabaja muchos grupos de músculos diferentes de forma simultánea.*
- *Aumenta la capacidad pulmonar y la calidad del sistema cardiovascular.*
- *Aumenta la resistencia, la fuerza y la flexibilidad.*
- *Mejora la coordinación y el equilibrio.*

Cada vez más popular, a finales de los años setenta surgió en Estados Unidos el programa *Jump Rope for Heart* (Salta por el corazón) para recaudar fondos y fomentar una vida sana a través de esta actividad, y hoy en día está presente en todos los colegios de primaria de ese país.

Sus beneficios son reconocidos a nivel mundial, y se usa como parte del entrenamiento en multitud de deportes, como el boxeo, la lucha libre o el tenis. Si bien no es todavía un deporte olímpico, ¡quizá lo sea algún día!

La comba en la actualidad

La FISAC-IRSF (Federación Internacional de Salto a la Comba) es el órgano rector internacional de este deporte, y cada dos años celebra un campeonato mundial en un país diferente; hasta el momento, los anfitriones han sido Australia, Bélgica, Canadá, Sudáfrica, Corea del Sur, Reino Unido y Estados Unidos. Para seleccionar a los deportistas que acudirán a los mundiales que organiza la FISAC-IRSF, tanto en Europa como en Asia, África, Canadá y Estados Unidos se suelen realizar diversos torneos.

En 1995, la organización USA Jump Rope se convirtió en el órgano que gestiona este deporte en Estados Unidos. Se trata de una organización sin ánimo de lucro que organiza competiciones, talleres, exhibiciones y campamentos con el fin de inculcar hábitos de vida saludables mediante la práctica de esta actividad. Del mismo modo, existen organizaciones similares en otros países, como ERSO (European Rope Skipping Organization), ARSA (African Rope Skipping Association), ARSF (Asian Rope Skipping Federation) y ORSA (Oceania Rope Skipping Association). En España se organizan a través de distintos clubes repartidos por la geografía nacional, y cada año se celebra el Certamen Anual de Salto de Comba, con distintas modalidades de competición, tanto individual como por equipos.

Poco a poco, el salto a la comba como práctica deportiva está despertando cada vez más interés en los medios de comunicación. En Estados Unidos, por ejemplo, el Torneo Nacional de Salto de Comba se retransmite ya por televisión, y equipos de todo el mundo hacen exhibiciones durante el descanso de los partidos de baloncesto o demostraciones en anuncios y películas. Existen también equipos *All Star* que realizan exhibiciones de alto nivel, como la celebrada durante los Juegos Olímpicos de Londres 2012 por Get Tricky, un equipo de comba internacional. Así, a medida que recibe más atención de los medios, el salto de comba se va haciendo cada vez más popular.

Comba individual

Las competiciones suelen dividirse en dos categorías principales: Velocidad y Estilo Libre.

Velocidad

En los ejercicios de velocidad los jueces cuentan las veces que salta un deportista en un tiempo dado. Las pruebas individuales más conocidas son:

Velocidad cuerda individual
Con el paso de rodillas (pág. 22), todos los saltos posibles en 30 segundos, 1 minuto y 3 minutos.
Récord mundial actual:
• 30 segundos: 204 saltos
• 3 minutos: 1.000 saltos

Dobles cuerda individual
Tantos dobles (pág. 32) como sea posible en 30 segundos y 1 minuto.

Triples consecutivos
Este ejercicio no se cronometra. Hay que hacer tantos triples (tres vueltas de cuerda sin apoyar los pies en el suelo, pág. 46) como se

pueda sin cometer un error ni dar ningún salto de más entre cada triple.
Récord mundial actual:
450 triples

Velocidad cuerda individual grupo
Esta prueba requiere un equipo de cuatro personas. Cada una de ellas debe hacer todos los saltos que pueda (utilizando el paso de rodillas) en 30 segundos. Salta una sola persona cada vez, y la exhibición dura 2 minutos.

> **Curiosidad:**
> Los jueces solo cuentan uno de cada dos saltos, debido a la velocidad de los saltadores. Al finalizar, multiplican por dos el resultado para conocer el número final de saltos dados en un tiempo determinado.

Estilo libre

En esta categoría el jurado valora la dificultad, la creatividad y la presentación del ejercicio, así como la sincronización entre los componentes cuando se trata de una prueba por equipos. Los ejercicios de estilo libre pueden presentarse en coreografías con música, y los errores se penalizan restando puntos.

Las pruebas más comunes de cuerda individual en estilo libre son:

Curiosidad:
En la comba doble, dos cuerdas largas giran en direcciones opuestas y una o más personas saltan al mismo tiempo. Como este es un manual de cuerda individual, no trata aspectos de la comba doble, pero no hay que olvidarla: ¡es una parte importante en las competiciones!

Cuerda individual estilo libre

Un solo saltador combina diferentes saltos en un ejercicio que dura entre 1 minuto y 1 minuto y 15 segundos.

Cuerda individual estilo libre por parejas

Dos personas realizan una coreografía simultáneamente. La mayor parte del tiempo ambos hacen los mismos saltos a la vez, aunque también pueden incorporar pasos por parejas, como el de enganche (pág. 54).

Cuartetos estilo libre

Es similar al estilo libre por parejas pero con un grado de dificultad añadido, puesto que requiere la sincronización de cuatro saltadores en lugar de dos.

Exhibición por equipos

Los equipos pueden oscilar entre 6 y 30 personas, con coreografías que duran entre 3 y 5 minutos. Suelen incluir diferentes tipos de salto, si bien los más comunes son: cuerda individual estilo libre, viajero (pág. 62) y rueda (pág. 60).

Longitud de la cuerda

Es muy importante utilizar una cuerda que tenga la longitud adecuada. Si es demasiado corta, no pasará por encima de la cabeza o por debajo de los pies, y habrá más posibilidades de cometer errores. Por el contrario, si es demasiado larga, arrastrará por el suelo y será más difícil manejarla.

La longitud ideal depende no solo de la estatura, sino también de los gustos personales. Algunas personas prefieren que sea algo más larga, y a otras les gusta más corta. Lo mejor es probar con diferentes longitudes hasta dar con la que nos sintamos cómodos.

Los mangos deben quedar por debajo de las axilas; nunca por encima de estas ni tampoco por debajo de la cintura. Prueba distintas longitudes para decidir cuál es la mejor para ti.

Una primera aproximación para calcular la longitud óptima para cada uno es:

1. Sujetar la cuerda con un mango en cada mano.
2. Pisar en la mitad de la cuerda y levantar los brazos para que quede tirante.

La postura correcta

Una postura adecuada no solo garantiza que los ejercicios sean más elegantes, también hace que resulten más fáciles.

Los brazos deben estar siempre próximos a los lados del cuerpo, y las manos deben quedar cerca de las caderas.

Sí

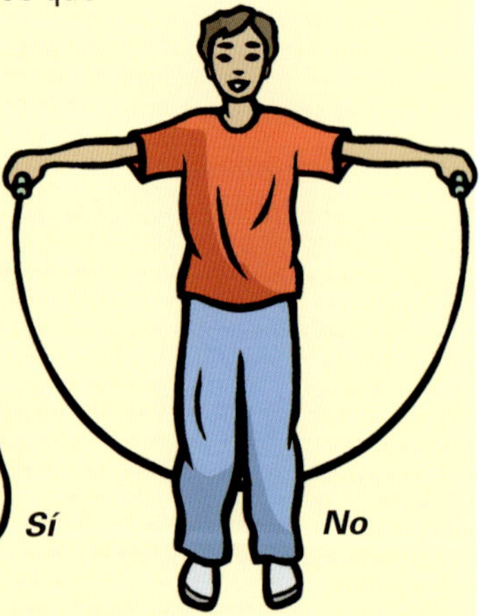

No

La espalda ha de estar recta; y el tronco, erguido.

No

Sí

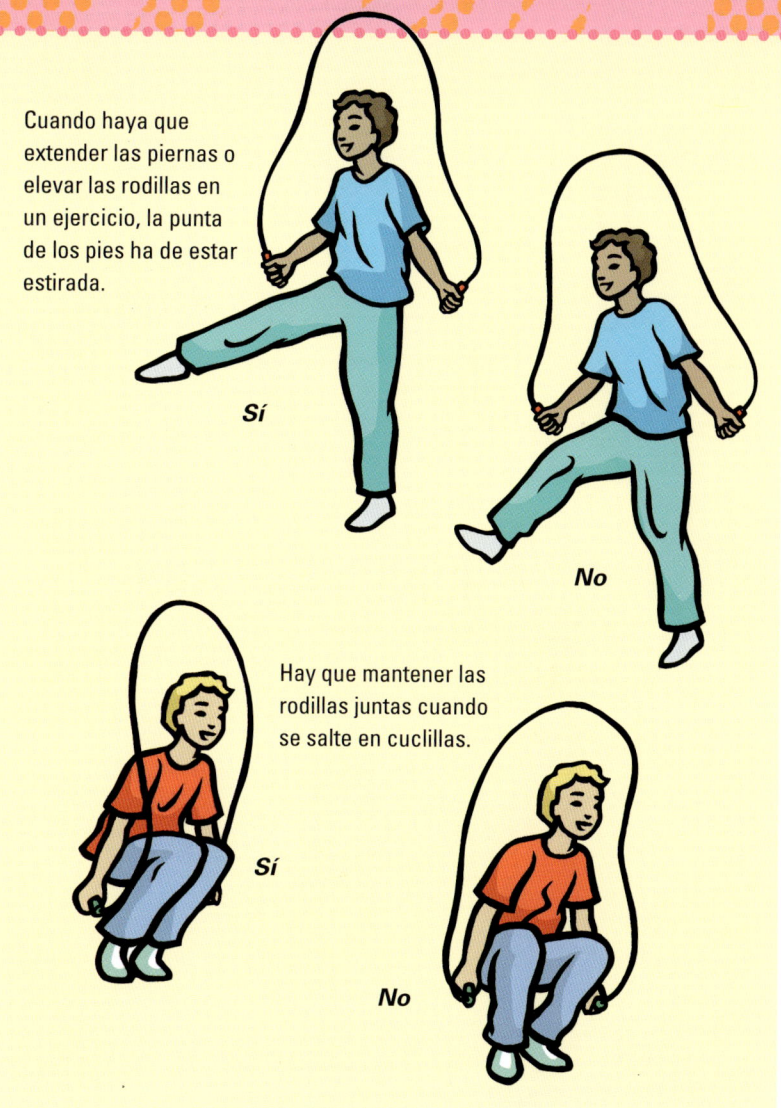

Cuando haya que extender las piernas o elevar las rodillas en un ejercicio, la punta de los pies ha de estar estirada.

Sí

No

Hay que mantener las rodillas juntas cuando se salte en cuclillas.

Sí

No

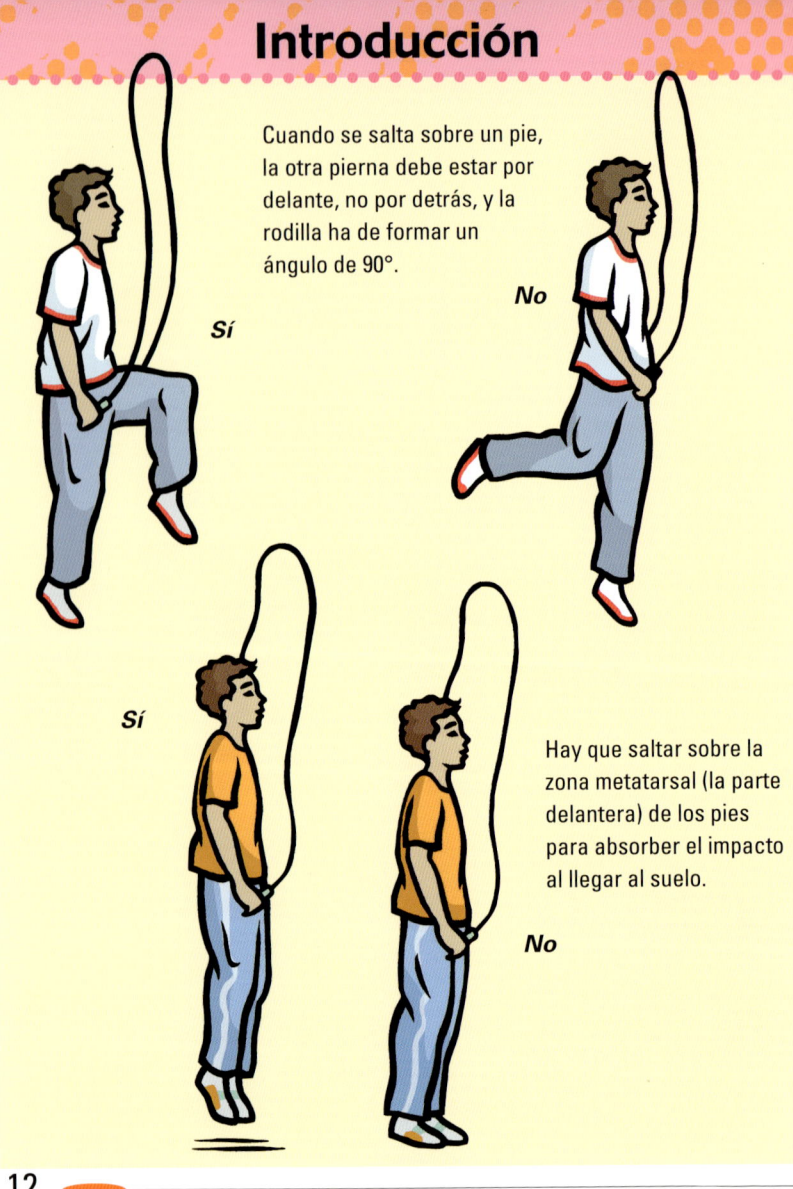

Cuando se salta sobre un pie, la otra pierna debe estar por delante, no por detrás, y la rodilla ha de formar un ángulo de 90°.

Sí

No

Sí

No

Hay que saltar sobre la zona metatarsal (la parte delantera) de los pies para absorber el impacto al llegar al suelo.

Movimientos básicos

Salto básico

1. Sujeta un mango con cada mano y asegúrate de que estás delante de la cuerda.

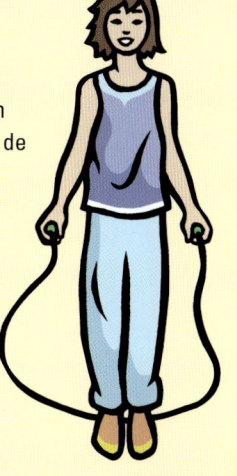

2. Moviendo los dos brazos a la vez, pasa hacia delante la cuerda por encima de la cabeza.

3. Continúa el movimiento de forma que el arco de la cuerda descienda por delante del cuerpo hasta llegar a los pies.

Cada vez que saltes, la cuerda debe pasar por debajo de los pies antes de que vuelvas a pisar el suelo.

4. Salta por encima de la cuerda en movimiento. Continúa girándola para que pase por encima de la cabeza y vuelva a los pies, y salta nuevamente sobre ella.

Salto del revés

1. Sitúate como si fueras a dar un salto básico normal, pero, esta vez, colócate detrás de la cuerda.

2. Lleva la cuerda por delante de ti y por encima de la cabeza dibujando con los brazos un círculo hacia atrás.

3. Antes de que la cuerda te toque los talones, salta para que pase por debajo de los pies y vuelva a estar delante de ti otra vez.

4. Sigue llevando la cuerda hacia atrás mientras saltas sobre ella. En cada vuelta, la cuerda debe pasar por encima de la cabeza y seguir hacia los tobillos para que saltes por encima de ella.

Látigo lateral básico

1. Colócate con la cuerda delante de ti como si fueras a saltar del revés.

2. Cruza el brazo derecho por delante del cuerpo y mantén el izquierdo en su sitio de modo que las manos se junten y la cuerda quede a tu izquierda. Mueve la cuerda formando un gran círculo por encima de tu cabeza y perpendicular al suelo.

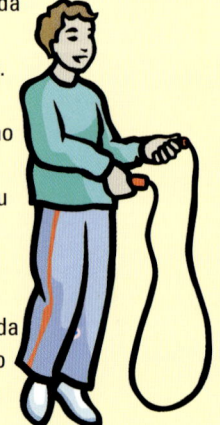

3. Puedes girar la cuerda a un lado del cuerpo o desplazarla de un lado al otro.

4. Para iniciar un salto, solo tienes que volver a cruzar la mano por delante del cuerpo y saltar la cuerda.

Saltos simples

Cruce

1. Pasa la cuerda por encima de la cabeza. Cuando lo hayas hecho, empieza a cruzar los brazos por delante del cuerpo. Así formarás un gran bucle para saltar.

si el bucle no es lo bastante grande para saltar, cruza más los brazos.

2. Mantén los brazos cruzados y, cuando hayas saltado el bucle, sigue girando la cuerda hasta que pase por encima de la cabeza.

Reto: cuando ya seas capaz de hacer un cruce, trata de saltar varios seguidos antes de descruzar los brazos.

3. Cuando la cuerda haya pasado sobre la cabeza, descruza los brazos y salta normalmente con el bucle abierto.

Torero

1. Empieza con un látigo lateral básico (pág. 14) hacia tu derecha.

2. Sigue girando la cuerda. Cuando el arco esté sobre tu cabeza, cruza el brazo derecho por delante del cuerpo y deja el brazo izquierdo en el lado derecho.

3. Mantén los brazos cruzados hasta que hayas saltado por el bucle. Luego sigue girando la comba hasta que te pase por encima de la cabeza.

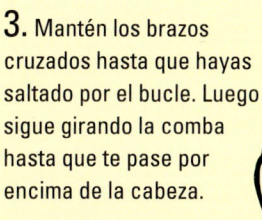

Consejo: completa este ejercicio con un látigo lateral a la izquierda y a la derecha.

4. Cuando la comba haya pasado sobre la cabeza, descruza los brazos y salta sobre la cuerda abierta.

Saltos simples

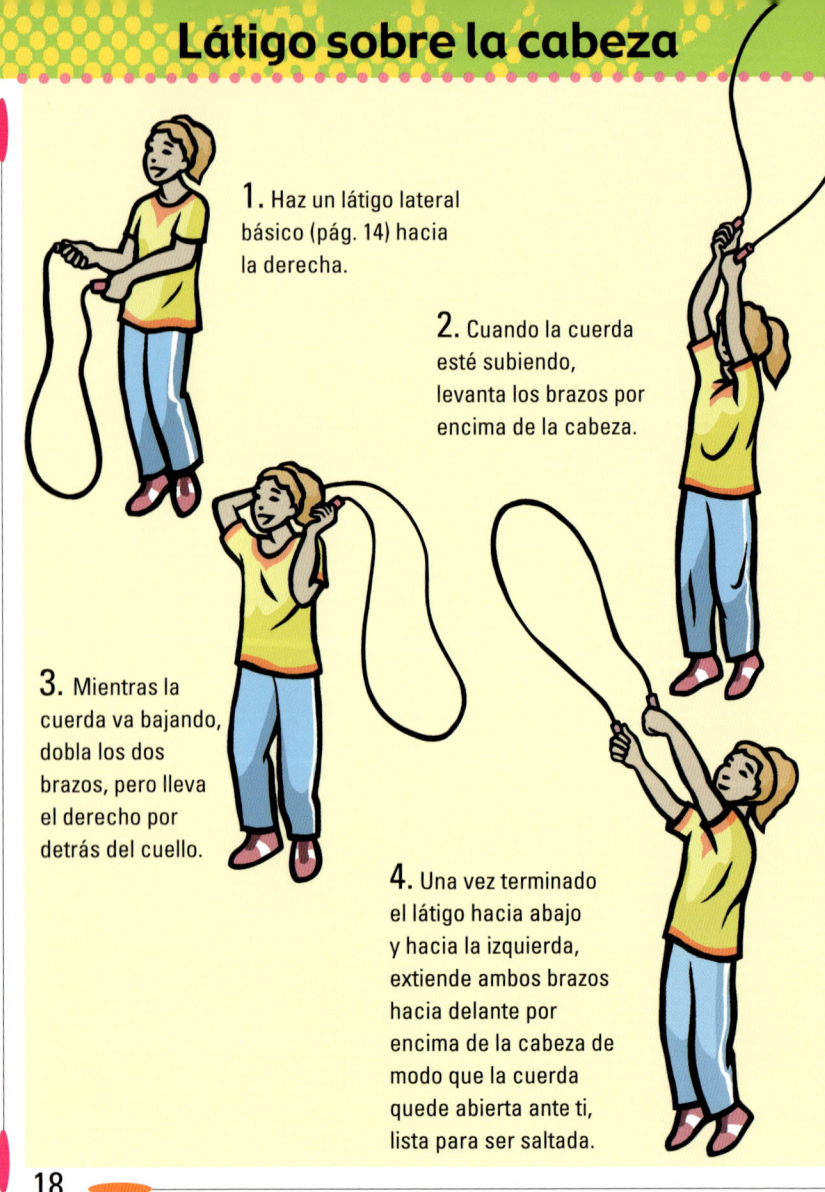

1. Haz un látigo lateral básico (pág. 14) hacia la derecha.

2. Cuando la cuerda esté subiendo, levanta los brazos por encima de la cabeza.

3. Mientras la cuerda va bajando, dobla los dos brazos, pero lleva el derecho por detrás del cuello.

4. Una vez terminado el látigo hacia abajo y hacia la izquierda, extiende ambos brazos hacia delante por encima de la cabeza de modo que la cuerda quede abierta ante ti, lista para ser saltada.

Eslalon

1. Salta la cuerda y pisa en el suelo a la derecha de donde tenías los pies al empezar.

2. La siguiente vez que la saltes, apoya los pies a la izquierda de la posición de partida.

3. Sigue alternando saltos a derecha e izquierda.

Campana o saltamontes

1. Salta la cuerda y cae apoyando en el suelo delante de donde tenías los pies al empezar.

2. En el siguiente salto, cae apoyando los pies detrás de la posición de partida.

3. Sigue alternando saltos adelante y atrás.

Pasos simples

Tijeras

1. Salta la cuerda y apoya en el suelo con el pie derecho por delante y el izquierdo por detrás.

2. En el salto siguiente, cambia los pies: apoya con el izquierdo delante y el derecho detrás.

Abrir y cerrar

1. En el primer salto, pisa el suelo con los pies separados a la altura de los hombros.

2. En el siguiente salto vuelve a juntar los pies.

Cancán

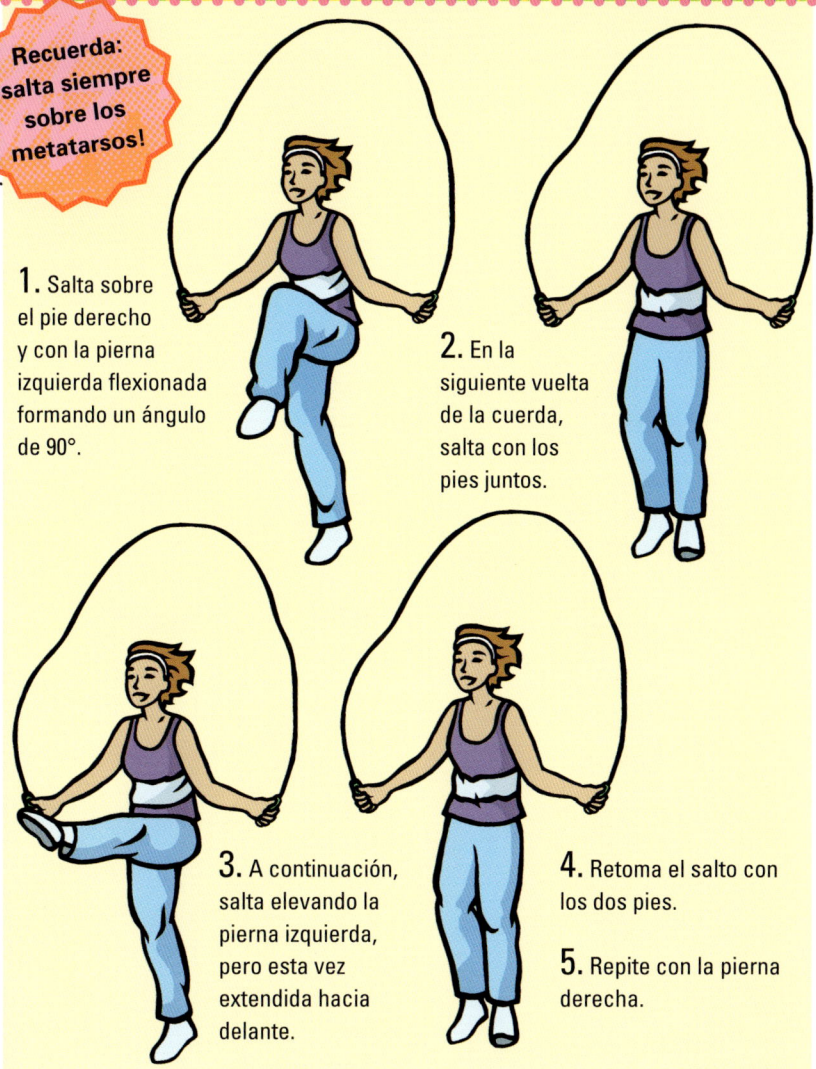

1. Salta sobre el pie derecho y con la pierna izquierda flexionada formando un ángulo de 90°.

2. En la siguiente vuelta de la cuerda, salta con los pies juntos.

3. A continuación, salta elevando la pierna izquierda, pero esta vez extendida hacia delante.

4. Retoma el salto con los dos pies.

5. Repite con la pierna derecha.

Pasos simples

Rodillas

1. Empieza pasando la cuerda por encima de la cabeza. Salta sobre el pie derecho cuando la cuerda pase bajo tus pies; la pierna izquierda debe formar un ángulo de 90°.

Postura correcta

1: *Debes LEVANTAR las rodillas en lugar de mover los pies hacia ATRÁS.*

2: *Debes doblar ligeramente los codos y girar las muñecas haciendo pequeños círculos.*

2. La siguiente vuelta de cuerda, salta de la misma forma sobre el pie izquierdo.

¿Quieres algo más de dificultad? Cuando ya sepas hacer este paso, pídele a un amigo que cuente los saltos que puedes dar en 30 segundos.

3. Continúa alternando los pies cada vez que pase la cuerda.

Este paso es la base en muchas competiciones de velocidad.

Rayuela

1. Salta y, cuando apoyes en el suelo, hazlo con los pies separados a la altura de los hombros (abrir y cerrar, pág. 20).

2. En el siguiente salto, cae con el pie izquierdo y extiende el derecho hacia atrás.

3. Repite alternando los pies.

Patada

1. Salta sobre el pie izquierdo con la pierna derecha hacia atrás.

2. Vuelve a saltar a la vez que das una patada hacia delante con el pie derecho.

3. Ahora, cambia de pie: salta sobre el derecho y extiende la pierna izquierda hacia atrás.

4. Vuelve a saltar a la vez que das una patada hacia delante con el pie izquierdo.

Recuerda: da la patada con la pierna estirada y el pie extendido.

Saltos simples

Talón-punta

1. En el primer salto, adelanta el pie derecho y apoya el talón en el suelo.

2. En el segundo salto, toca el suelo con la punta del pie derecho por detrás de ti.

3. Repite ahora con la pierna izquierda.

Fling

1. Salta y toca el suelo detrás de ti con la punta del pie derecho.

2. En el siguiente salto, toca el suelo a tu derecha con la punta del pie derecho.

3. Para completar el *fling*, toca el suelo delante de ti con el talón derecho mientras saltas la cuerda.

4. Repite el paso completo con la pierna izquierda.

Águila / Cosaco

Águila

1. Salta y, al caer, ponte en cuclillas.

2. Salta de nuevo y recupera la posición normal con las piernas abiertas (pág. 20).

3. En la siguiente vuelta de la cuerda, quédate nuevamente en cuclillas.

4. Repite los pasos 2 y 3.

Cosaco

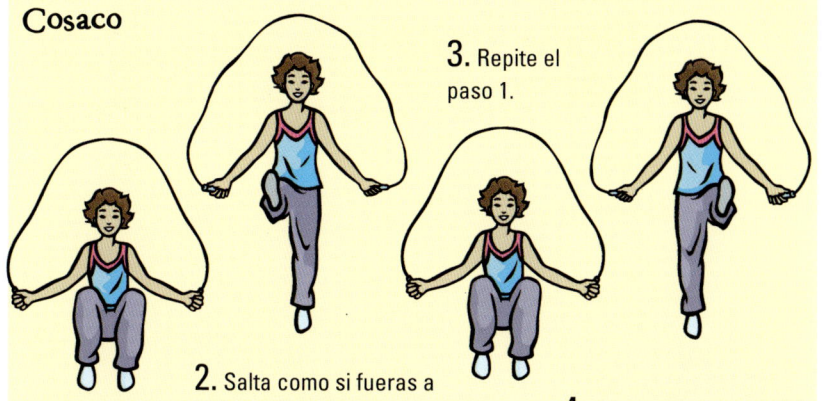

3. Repite el paso 1.

1. Salta y, al caer, ponte en cuclillas.

2. Salta como si fueras a hacer el águila, pero apóyate solo en la pierna izquierda y extiende hacia delante la derecha con el pie extendido.

4. Repite el paso 2, pero ahora levanta la pierna izquierda. Continúa alternando las piernas.

Pasos simples

Rodilla-cruce-rodilla

1. En el primer salto, levanta la rodilla derecha a la altura de la cintura.

2. En el siguiente salto, cruza la pierna derecha y toca el suelo a la izquierda de tu cuerpo con la punta del pie.

3. Vuelve a levantar la rodilla a la altura de la cintura.

4. Termina bajando la pierna derecha para dar un salto básico (pág. 13).

En lugar de saltar levantando la rodilla, ¡prueba a dar una patada!

5. Repite los pasos 1-3 con la pierna izquierda.

Flexión para principiantes

1. Salta la cuerda y quédate en cuclillas con la comba formando un arco delante de ti.

2. Extiende las piernas hacia atrás y adopta la postura de hacer flexiones de brazos.

3. Mientras mantienes la cuerda formando una arco delante de ti, vuelve a ponerte en cuclillas.

4. Lleva la cuerda bajo los pies mientras vuelves a la posición erguida.

No sueltes los mangos y mantén las piernas juntas.

Pasos simples

Rana para principiantes

1. Coloca la cuerda formando un arco delante de ti a la vez que te impulsas para hacer el pino.

2. Una vez en la vertical, dobla las rodillas hasta tocar con los pies la parte posterior de las piernas.

Consejo: Cuanto más erguido quedes en el punto 3, mejor.

3. Baja los pies juntos hacia el suelo a la vez que te impulsas con las manos.

4. Recupera la posición erguida dejando la cuerda bajo los pies.

Pasos más complejos

1. Después de saltar la cuerda, suelta uno de los mangos.

Truco: intenta que la cuerda quede en línea recta detrás de ti.

2. Tira de la cuerda hacia delante sin hacer demasiada fuerza. Te resultará más fácil si das un paso atrás a la vez que lanzas la cuerda como si jugaras a los bolos.

3. Cuando la cuerda esté totalmente extendida delante de ti, intenta dirigirla hacia la mano libre que tienes abierta.

¿Preparado para un reto mayor? Cuando hayas adquirido soltura para recuperar el mango, ensaya con otros ejercicios, como: cruce (pág. 16), 360° (pág. 37), doble (pág. 32) y *Crougar* (pág. 34).

4. Toma el mango con la mano libre y continúa saltando.

Látigo enrollable

1. Mientras la cuerda pasa sobre la cabeza, cruza un brazo para ejecutar un látigo lateral (pág. 14).

Si lo vas a hacer hacia la derecha, el mango derecho deberá ser el que quede más alejado del cuerpo.

2. Extiende el brazo derecho mientras vuelves a hacer un látigo con la cuerda hacia el mismo lado del cuerpo. Con este movimiento, la cuerda se enrollará en el brazo.

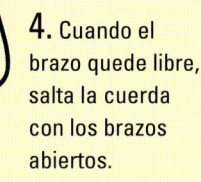

3. Para desenrollarla, balancea ese brazo hacia el otro lado del cuerpo. Necesitarás hacer más de un látigo para desenrollar completamente la cuerda.

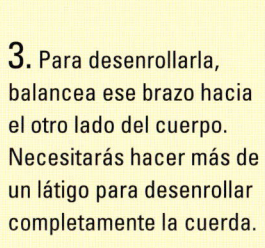

4. Cuando el brazo quede libre, salta la cuerda con los brazos abiertos.

Enrollar a 180°

1. Haz los pasos 1 y 2 del látigo enrollable (arriba).

2. Para desenrollar la cuerda, balancéala hacia el lado opuesto del cuerpo, como en el paso 3 del látigo enrollable. Cuando golpee el suelo, gira el cuerpo 180° hacia ese lado para quedar de espaldas.

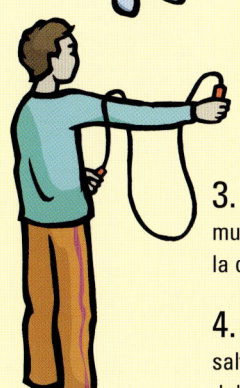

3. Abre los brazos y mueve la cuerda sobre la cabeza hacia atrás.

4. Ahora estarás saltando la comba del revés.

Pasos más complejos

1. Este ejercicio consiste en saltar muy alto y mover la cuerda a gran velocidad para que pase por debajo de los pies dos veces antes de apoyar en el suelo.

2. Si te cuesta conseguirlo, prueba con estos trucos:

• Mueve las muñecas haciendo círculos pequeños y rápidos.

• Mantén los brazos cerca del cuerpo.

• Al saltar, acerca las rodillas al pecho (no el pecho a las rodillas), y no dirijas los pies hacia atrás.

Reto 1: cuando ya domines el doble, intenta hacerlo saltando del revés. Reto 2: ¡Añade un cruce! En la primera vuelta de la cuerda los brazos están abiertos; crúzalos luego para el segundo salto del doble.

Así no

Así

No existen trucos para hacer más fácil el doble. ¡Solo tienes que saltar más alto y girar la cuerda más rápido!

EB o sándwich

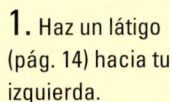

1. Haz un látigo (pág. 14) hacia tu izquierda.

2. Mientras el brazo derecho continúa el látigo, lleva el brazo izquierdo a la espalda (la mano debe quedar lo más cerca posible del lado derecho) para formar un bucle y saltar.

Recuerda: este ejercicio se puede hacer también a la derecha.

3. Después de saltar el bucle, lleva los brazos al punto de partida.

TS

1. Mientras saltas la cuerda, cruza los brazos a la espalda.

2. Mantén los brazos cruzados hasta que la cuerda haya pasado sobre la cabeza y hayas saltado el bucle.

3. Descruza los brazos y salta normalmente.

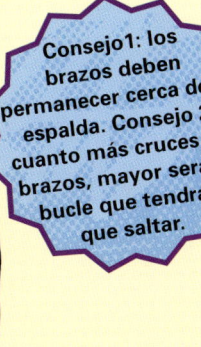

Consejo 1: los brazos deben permanecer cerca de la espalda. **Consejo 2:** cuanto más cruces los brazos, mayor será el bucle que tendrás que saltar.

Pasos más complejos

1. Mientras giras la cuerda para que te pase sobre la cabeza, sube la pierna derecha y pasa por debajo de ella, desde dentro, el brazo derecho.

2. Cuando la cuerda haya pasado sobre la cabeza, saca el brazo de debajo de la pierna haciendo un látigo lateral izquierdo (pág. 14) al mismo tiempo que llevas el pie derecho al suelo.

3. Mientras la cuerda se dirige hacia arriba, coloca el brazo derecho en su posición original y prepárate para saltar en cuanto pase la cuerda.

Reto:
Cuando domines el *Crougar*, trata de deshacer la posición mediante un cruce. ¡Asegúrate de cruzar los dos brazos a la vez! Consejo: si tienes el brazo derecho bajo la pierna, ese brazo estará bajo el izquierdo durante el cruce.

Toad (rodilla-cruce)

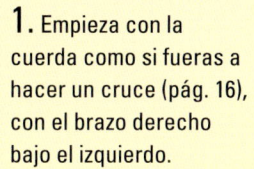

1. Empieza con la cuerda como si fueras a hacer un cruce (pág. 16), con el brazo derecho bajo el izquierdo.

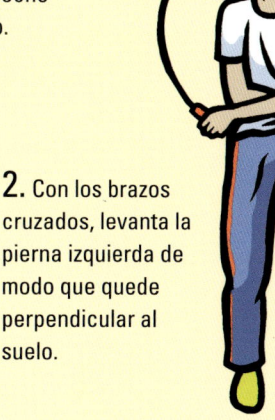

2. Con los brazos cruzados, levanta la pierna izquierda de modo que quede perpendicular al suelo.

3. Introduce el brazo derecho bajo la pierna izquierda (mantén cruzado el brazo izquierdo). Salta por el bucle.

Recuerda: cuanto más cruces los brazos, mayor será el bucle que tendrás que saltar.

4. Cuando hayas saltado la cuerda y esta haya pasado por encima de la cabeza, descruza los brazos como harías para finalizar un cruce y salta normalmente.

Pasos más complejos

AS

1. Mientras saltas la cuerda, cruza los brazos por detrás de las rodillas.

2. Mantén los brazos cruzados hasta después de haber saltado por el bucle.

3. Cuando hayas saltado la cuerda, descruza los brazos y salta normalmente.

Consejo 1: debes tener los brazos muy pegados a la parte posterior de las rodillas. Consejo 2: cuanto más cruces los brazos, mayor será el bucle que tendrás que saltar.

CL

1. Mientras saltas la cuerda, cruza simultáneamente un brazo por detrás de las rodillas y el otro por la espalda.

2. A continuación, gira las muñecas para que la cuerda te rodee el cuerpo. No descruces los brazos hasta después de haber saltado el bucle.

3. Vuelve a llevar los brazos a su sitio mientras te pones de pie y sigues saltando la cuerda normalmente.

180°

1. Haz un látigo (pág. 14) hacia tu izquierda.

2. Cuando la cuerda golpee el suelo, gira inmediatamente 180° a la izquierda para quedar de espaldas. Salta la cuerda del revés.

3. Después de saltar la cuerda, cuando llegue arriba del todo gira 180° hacia la derecha para quedar de frente otra vez y saltar del derecho.

360°

1. Ejecuta los pasos 1 y 2 del giro de 180°.

2. En cuanto hayas saltado la cuerda del revés, gira a tu izquierda 180° más para completar 360°.

3. Debes terminar de frente y saltando del derecho.

Pasos más complejos

1. Ejecuta un látigo (pág. 14) hacia tu izquierda. Cuando la cuerda toque el suelo, gira inmediatamente 180° a la izquierda para quedar de espaldas

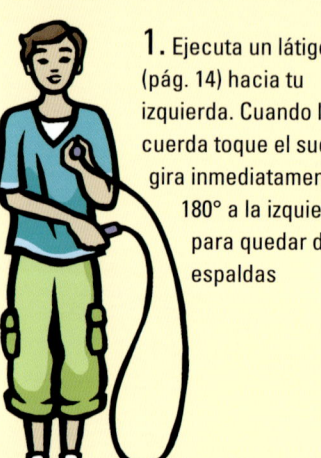

2. Mientras mueves la cuerda para saltar del revés, introduce el brazo derecho bajo la pierna derecha desde atrás. Luego, salta la cuerda.

3. Cuando el arco de la cuerda esté arriba, gira 180° a la izquierda para quedar situado de frente.

Reto: cuando consideres que ya dominas el BC, intenta hacer los puntos 1 y 2 como doble (pág. 32).

4. Sin dejar de saltar, saca el brazo derecho de debajo de la pierna y salta normalmente.

2. Baja los brazos y pásalos entre las piernas.

1. Salta la comba haciendo el paso de abrir y cerrar (pág. 20).

3. Cruza los brazos por detrás de las rodillas. Los brazos deben estar en contacto con la parte posterior de las rodillas.

4. Salta por el bucle que se ha formado. Junta los pies al saltar para no enredarte con la cuerda.

5. La cuerda debe quedar en el suelo por detrás de las piernas. Mientras te enderezas, lanza la cuerda hacia delante entre las piernas para poder girarla hacia atrás por encima de la cabeza y saltar del revés.

Pasos más complejos

1. Salta la cuerda y adopta la posición de escalador: una variante de la flexión de brazos (pág. 44) en la que doblas la pierna derecha para colocarla a medio camino entre los brazos y los pies.

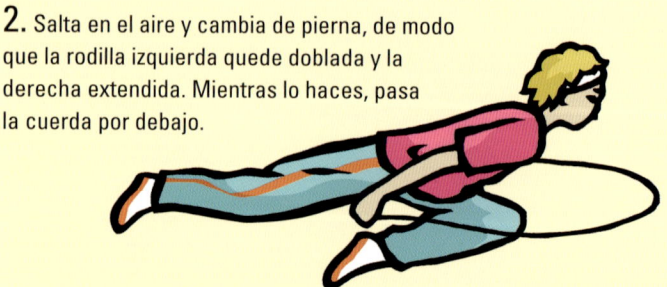

2. Salta en el aire y cambia de pierna, de modo que la rodilla izquierda quede doblada y la derecha extendida. Mientras lo haces, pasa la cuerda por debajo.

3. Vuelve a hacer el paso 1 para quedarte con la rodilla derecha doblada y la izquierda extendida.

4. Repítelo todas las veces que quieras. Luego, vuelve a la posición erguida para seguir saltando normalmente.

1. Salta la cuerda y quédate en cuclillas.

2. En el siguiente salto, extiende la pierna izquierda hacia delante mientras mantienes la derecha doblada.

Truco: Puedes hacerlo moviendo la cuerda hacia atrás o hacia delante.

3. Pasa la cuerda por debajo de ti a la vez que cambias de pierna: la pierna derecha queda extendida, y la izquierda, doblada.

4. Repítelo tantas veces como quieras antes de volver a la posición en cuclillas.

5. Recupera la posición erguida y salta normalmente.

Pasos más complejos

1. Salta la cuerda y quédate en cuclillas.

2. En el siguiente salto, extiende una pierna recta por delante y la otra recta por detrás para llegar al suelo con las piernas abiertas.
La cuerda debe caer formando un arco delante del pie que tienes delante.

Consejo:
Cuando llegues al suelo con las piernas abiertas, apoya las manos para ganar estabilidad.

3. Salta desde esta posición y quédate en cuclillas al mismo tiempo que lanzas la cuerda por debajo de los pies.

Reto 1: Intenta un cruce (pág. 16) en el salto en cuclillas, antes de abrir las piernas, o en el salto desde la posición de piernas abiertas.

Reto 2: ¡Intenta hacer dos *splits* seguidos! Cambia de la pierna izquierda delante a la pierna derecha delante. Pasa la cuerda bajo los pies mientras haces el cambio.

Pasos todavía más complejos

1. Salta la comba y, al caer al suelo, quédate en cuclillas.

2. En el siguiente salto, adopta la posición de flexión de brazos, con la cuerda formando un arco delante de ti.

3. Toma impulso para separarte del suelo ayudándote con las manos y lanza la cuerda hacia atrás, de modo que pase bajo los pies mientras vuelves a la posición en cuclillas.

Truco: Toma impulso con las manos y los pies a la vez.

Rana

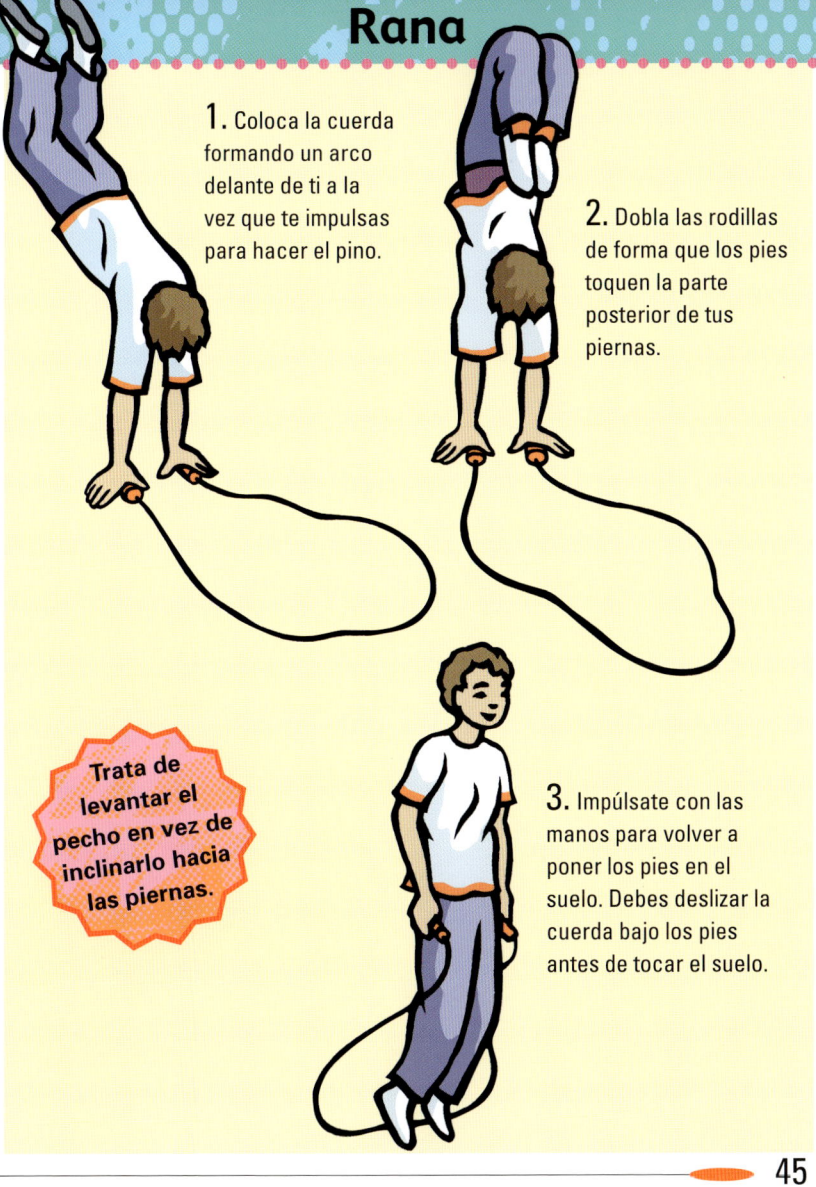

1. Coloca la cuerda formando un arco delante de ti a la vez que te impulsas para hacer el pino.

2. Dobla las rodillas de forma que los pies toquen la parte posterior de tus piernas.

Trata de levantar el pecho en vez de inclinarlo hacia las piernas.

3. Impúlsate con las manos para volver a poner los pies en el suelo. Debes deslizar la cuerda bajo los pies antes de tocar el suelo.

Pasos todavía más complejos

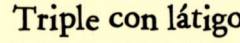

Triple básico

Al saltar, la cuerda debe pasar tres veces por debajo de los pies antes de que vuelvas a tocar el suelo. Recuerda:

• Mueve las muñecas en círculos pequeños y rápidos.

• Mantén los brazos cerca del cuerpo.

• Sube las rodillas hacia el pecho (en lugar de bajar el pecho a las rodillas), y no eches los pies hacia atrás.

Triple con látigo

Como en el triple básico, la cuerda debe dar tres vueltas antes de que toques el suelo. Existen dos variaciones:

Variación 1
• Giro 1: látigo a un lado
• Giro 2: látigo al otro lado
• Giro 3: salto abierto

Variación 2
• Giro 1: látigo a un lado
• Giro 2: salto abierto
• Giro 3: salto abierto

Triple con látigo y cruces

Al igual que los demás, la cuerda debe girar tres veces antes de que toques el suelo. Tiene tres variaciones:

Variación 1
• Giro 1: látigo a un lado
• Giro 2: salto abierto
• Giro 3: cruce (pág. 16)

Variación 2
• Giro 1: látigo a un lado
• Giro 2: cruce
• Giro 3: salto abierto

Variación 3
• Giro 1: látigo a un lado
• Giro 2: cruce
• Giro 3: cruce

> **Reto en la variación 3:** intenta alternar el brazo que esté cruzado arriba en los giros 2 y 3.

Este salto combina el Toad *(pág. 35)*
y el Crougar *(pág. 34).*

1. Haz un *Toad* cruzando el brazo derecho bajo la pierna izquierda.

2. Después de haber saltado por el bucle y de que la cuerda haya pasado por encima de la cabeza:

- Descruza los brazos.
- Salta y coloca la pierna izquierda en el suelo y la derecha flexionada formando un ángulo de 90°.
- Introduce el brazo derecho bajo la pierna derecha.

3. Cuando la cuerda vuelva a pasar por encima de ti, cambia a la posición *Toad* ejecutando estos pasos al mismo tiempo:

- Cruza los brazos de modo que el derecho quede bajo la pierna izquierda otra vez.
- Salta para volver a poner la pierna derecha en el suelo y la izquierda delante formando un ángulo de 90°.

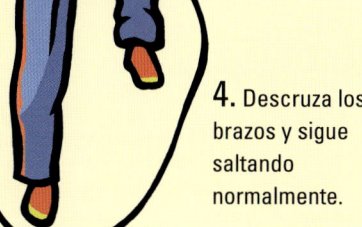

4. Descruza los brazos y sigue saltando normalmente.

Pasos todavía más complejos

Combinación: EB–TS

Este salto combina el EB y el TS (pág. 33).

1. Haz un EB con el brazo izquierdo a la espalda y el derecho cruzado por delante del cuerpo.

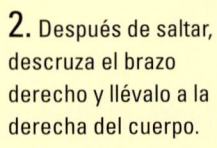

2. Después de saltar, descruza el brazo derecho y llévalo a la derecha del cuerpo.

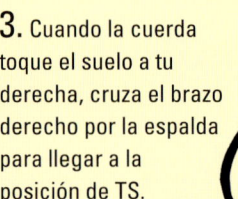

3. Cuando la cuerda toque el suelo a tu derecha, cruza el brazo derecho por la espalda para llegar a la posición de TS.

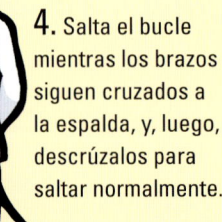

4. Salta el bucle mientras los brazos siguen cruzados a la espalda, y, luego, descrúzalos para saltar normalmente.

Combinación: AS-CL

Este salto combina el AS y el CL (pág. 36).

1. Haz un AS con los brazos cruzados por detrás de las rodillas.

2. Cuando hayas saltado el bucle formado, deja donde está el brazo más cercano a las piernas y cruza el otro por detrás de la espalda en la posición de CL.

3. Salta el bucle del CL y, luego, descruza los brazos y vuelve a la posición erguida para saltar normalmente.

Triple AS

1. En el primer giro, ejecuta un látigo lateral (pág. 14).

2. Haz un salto abierto en el giro 2. En cuanto la cuerda pase bajo los pies, empieza a cruzar los brazos por detrás de las rodillas para prepararte para el AS (pág. 36).

3. Giro 3: AS. Cuando la cuerda haya pasado bajo los pies para completar el AS, ya puedes descruzar los brazos y saltar normalmente.

> **Recuerda:** En todos los triples la cuerda debe dar tres vueltas completas mientras estás en el aire.

Triple TJ

1. En el primer giro, haz un látigo lateral.

2. Giro 2: *Toad* en el mismo lado del látigo; esto es, si realizas el látigo a la izquierda, debes cruzar el brazo derecho bajo la pierna izquierda para el *Toad*.

3. Giro 3: salto abierto.

> **Consejo:** En todos los cruces de piernas múltiples intenta subir las piernas en vez de inclinar el pecho.

Otros múltiples avanzados

Cuádruple con látigo

1. En este ejercicio, mientras estás en el aire la cuerda debe girar cuatro veces antes de que vuelvas a tocar el suelo. En el primer giro, haz un látigo a un lado.

2. Giro 2: látigo al otro lado.

3. Giros 3 y 4: salto abierto en ambos.

EK (360° con triple)

1. En el primer giro, haz un látigo a un lado.

2. Giro 2: 180° (pág. 37) al mismo lado. Si haces el látigo a la izquierda, giras 180° a la izquierda mientras saltas del revés.

3. Giro 3: 180°. Una vez has llevado la cuerda bajo los pies, sigue girando en la misma dirección, pero vuelve a llevar la cuerda bajo los pies saltando del derecho. Este ejercicio termina cuando quedas de frente y la cuerda ha vuelto a pasar bajo los pies girando hacia delante.

Pasos todavía más complejos

Rana con cruce

1. Haz los pasos 1 a 3 de la rana (pág. 45). Cuando te hayas separado del suelo con las manos, lleva los brazos atrás con un cruce (pág. 16).

2. Pasa la cuerda cruzada bajo los pies antes de que toquen el suelo.

AS con flexión de brazos

1. Haz los pasos 1 a 3 del AS (pág. 36). Mientras saltas el bucle formado en el AS, adopta la posición extendida de la flexión de brazos (pág. 44).

2. Pasa la cuerda bajo los pies mientras saltas de la posición flexionada y te quedas en cuclillas.

3. El AS-Splits se ejecuta de la misma forma, sustituyendo el *split* (pág. 42) por la flexión de brazos.

Flexión de brazos con cruce

1. Haz los pasos 1 a 3 de la flexión de brazos (pág. 44). Cuando te hayas impulsado desde el suelo, lleva los brazos atrás con un cruce (pág. 16).

2. Pasa la cuerda cruzada bajo los pies antes de que toquen el suelo.

AS con rana

1. Haz los pasos 1 a 3 de la rana (pág. 45). Cuando te hayas impulsado desde el suelo con las manos, dirige los brazos rectos hacia atrás para pasar la comba bajo los pies antes de que toquen el suelo.

2. Inmediatamente después de que la cuerda pase bajo los pies, cruza los brazos por detrás de las piernas en la posición de AS (pág. 36).

3. Salta el AS, descruza los brazos y vuelve a la posición erguida para saltar normalmente.

Split con flexión de brazos

1. Salta la cuerda y adopta la posición de piernas abiertas (pág. 42).

2. Desde ahí, salta a la posición de flexión de brazos, girando la cuerda entre los dos ejercicios.

3. Pasa la cuerda bajo los pies mientras saltas desde la posición de flexión a la de cuclillas.

Pasos en pareja

1. «Enganche» es el término empleado para describir un salto en el que «enganchas» con la cuerda a otra persona. Es muy importante estar sincronizados y empezar saltando cerca de la pareja.

2. Colócate detrás de tu pareja, pero ligeramente desviada hacia un lado.

> **Reto:** Prueba también a alinearte enfrente de tu pareja para hacer el enganche.

3. Ahora, las dos tenéis que saltar la comba. Debes quedar cerca de tu pareja, por detrás de ella, para poder abarcar a ambas y completar el enganche.

> **Truco:** Enganchar a la pareja es más fácil si mueves la cuerda despacio. Cuando ya domines la técnica, podrás probar a enganchar más rápido.

4. Salta desplazándote a un lado para volver a colocarte junto a tu pareja.

1. Alineate detrás o enfrente de tu pareja.

2. Mientras saltáis la comba, intentad ejecutar los siguientes ejercicios de pies:

- Eslalon (pág. 19)
- Campana (pág. 19)
- Abrir y cerrar (pág. 20)
- Tijeras (pág. 20)
- Cancán (pág. 21)
- Rodillas (pág. 22)
- Rayuela (pág. 23)
- Patada (pág. 23)
- Talón-punta (pág. 24)
- *Fling* (pág. 24)
- Cosaco (pág. 25)
- Águila (pág. 25)
- Rodilla-cruce-rodilla (pág. 26)

Enganche con patada

Enganche con eslalon

Consejo:
Si te sitúas detrás de tu pareja, es necesario que cambies un poco el juego de pies para no darle una patada. Puedes mover el pie ligeramente hacia un lado de tu pareja.

Pasos en pareja

1. En este paso, el saltador que tiene la comba (el «enganchador») debe dar un giro de 180° (pág. 37) hacia la pareja que va a enganchar (el «enganchado»). Empieza situándote al lado de tu pareja.

2. Inicia el giro de 180° con un látigo lateral (pág. 14) hacia el espacio que hay entre los dos.

3. Desde el látigo lateral, realiza el giro de 180°. Cuando la cuerda haya pasado sobre tu cabeza, salta para situarte directamente en frente del enganchado. Ahora estaréis los dos cara a cara.

4. Termina el paso de 180° con un salto del revés, en el que la cuerda pasará por debajo de ti y de tu enganchado.

5. Da un salto del revés mientras te desplazas a un lado del enganchado.

Enganche con látigo lateral

Este ejercicio puede hacerse desde cualquier lado. Aquí se explica con el enganchador situado a la derecha.

1. Colocaos de modo que tú, el enganchador, estés situado en el lado derecho. Realiza un látigo lateral (pág. 14) hacia tu derecha.

2. En la siguiente vuelta de la cuerda, lleva ambos brazos a tu izquierda de modo que el izquierdo quede próximo a tu costado izquierdo y el derecho se extienda delante de tu pareja. La idea es formar un bucle por el que salte tu pareja.

3. Gira la cuerda para que pase sobre la cabeza de tu pareja. A continuación, lleva el brazo derecho a tu derecha para poder saltar normalmente.

Pasos en pareja

Enganche con látigo lateral con flexión de brazos o *split*

1. Enganchador: sigue las instrucciones del enganche con látigo lateral (pág. 57). Enganchado: mientras el enganchador hace el látigo en el lado opuesto, salta y quédate en cuclillas.

2. Enganchado: cuando llegue el bucle que te ha hecho el enganchador, salta a la posición de flexión de brazos (como en la imagen) o de apertura de piernas (pág. 42).

3. Vuelve a la posición en cuclillas y luego a la erguida, mientras el enganchador adopta el salto normal.

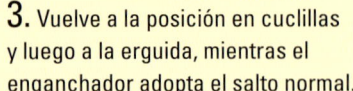

Enganche con látigo lateral con rana

1. Enganchador: sigue las instrucciones del enganche con látigo lateral (pág. 57).

2. Enganchado: cuando llegue el bucle que te ha hecho el enganchador, entra, con las manos por delante, haciendo la postura de la rana (pág. 45).

3. Vuelve a ponerte en pie y continúa saltando mientras el enganchador recupera el salto normal.

Enganche con flexión

1. Ejecuta un enganche básico (pág. 54); el enganchador está situado detrás del enganchado.

2. En el segundo salto, el enganchado se queda en cuclillas.

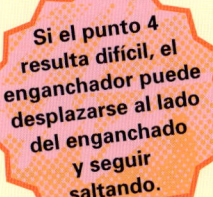

Si el punto 4 resulta difícil, el enganchador puede desplazarse al lado del enganchado y seguir saltando.

3. En el tercer salto, el enganchador hace un abrir y cerrar (pág. 20). El enganchado salta la cuerda desde la posición de cuclillas a la de flexión de brazos (pág. 44). Las piernas del enganchado apoyarán en el suelo entre las del enganchador, que han quedado abiertas.

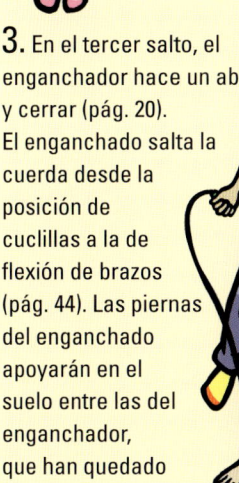

4. En el cuarto salto, el enganchado salta desde la posición de flexión de brazos, por encima de la cuerda, y se queda en cuclillas.

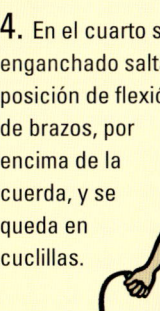

1. Sitúate junto a tu pareja mirando al frente. Cada uno debe sostener uno de los mangos de la comba con la mano que tiene en el exterior.

2. Girad la cuerda para dar juntos un salto básico, exactamente igual que si una sola persona moviera la comba.

Es muy importante que los dos giréis la cuerda al mismo tiempo y que saltéis también a la vez.

3. Variación: una persona salta la comba mientras la pareja permanece a un lado ayudando a mover la cuerda. Se pueden hacer turnos y alternar entre el que da y el que salta.

Juego de pies

1. Mientras saltas la comba, intenta realizar algunos ejercicios de pies:

Una rueda con cancán

- Eslalon (pág. 19)
- Campana (pág. 19)
- Abrir y cerrar (pág. 20)
- Tijeras (pág. 20)
- Cancán (pág. 21)
- Rodillas (pág. 22)
- Rayuela (pág. 23)
- Patada (pág. 23)
- Talón-punta (pág. 24)
- *Fling* (pág. 24)
- Cosaco (pág. 25)
- Águila (pág. 25)
- Rodilla-cruce-rodilla (pág. 26)

Doble

Inténtalo primero con una persona saltando y la otra ayudando. Cuando seáis capaces de hacerlo así, empezad a probar saltando a la vez.

1. Di «preparados, listos, ya». El salto después del «ya» debe ser muy alto. Las dos personas deben girar la cuerda lo bastante rápido para que pase dos veces por debajo de los pies del saltador antes de que apoye en el suelo.

Cruce

1. Una persona salta y la otra ayuda a girar la cuerda. Di «preparados, listos, ya». Después del «ya», el saltador cruza el brazo que tiene en el exterior. Al mismo tiempo, el que da cruza el brazo por encima del brazo del saltador, formando una cruz.

2. Los dos tendrán que descruzar en la siguiente vuelta de la comba.

Pasos en pareja

Viajero básico

1. La persona que lleva la comba es el viajero. Se forma una fila recta separados a una distancia en la que no se toquen los brazos extendidos. El viajero se coloca en un extremo.

2. El viajero empieza a dar saltos básicos desplazándose hacia la primera persona de la fila. Cada componente de la fila salta al mismo tiempo, manteniendo los brazos a los lados, a la espalda o en el estómago.

3. El viajero realiza un enganche básico (pág. 54) con el primero de la fila. Después, se desplaza al hueco que hay entre la primera y la segunda persona de la fila y ejecuta un salto básico.

4. El viajero sigue enganchando hasta llegar al final. Da uno o dos saltos en cada hueco libre.

El viajero puede hacerse con cualquier número de saltadores.

Viajero directo

1. Todos los saltadores se colocan en línea recta, con el viajero en primera posición. Este ejecuta un enganche básico (pág. 54) con el primero de la fila y, sin saltar entre dos personas, se desplaza directamente para enganchar al segundo saltador de la fila; así sucesivamente hasta llegar al último. Si en la fila hay seis saltadores, el viajero deberá saltar solamente seis veces para llegar al otro extremo de la fila.

Trenzado

1. Los saltadores se colocan en una fila separados en zigzag. El viajero se desplaza entre estas dos filas enganchando a la primera persona desde delante, a la segunda desde atrás, y alternando hasta llegar al otro extremo de la fila.

Enganches dobles y triples

1. En lugar de enganchar a una persona cada vez, intenta enganchar a dos o tres saltadores situados en fila uno detrás de otro. Hay que estar muy cerca, saltar alto, ¡y saltar al mismo tiempo! Para enganchar a tres personas es preferible que se coloquen formando un triángulo.

Split

1. Cada saltador de la fila se empareja con el que tiene a su lado. El más alto se sitúa aproximadamente un paso por detrás del más bajo. Entre los dos debe quedar suficiente espacio para que el viajero pueda pasar. El viajero engancha a ambos saltadores a la vez antes de desplazarse para repetir con la siguiente pareja.

Pasos en pareja

Índice de pasos